ANALIZA KSIĄŻKI

AF137588

Jestem Malala

· · · · · · · · · · · · · ·

Malala Yousafzai

ANALIZA KSIĄŻKI

Napisany przez Marie Bouhon
Przetłumaczony przez Kâmil Kowalski

Jestem Malala

MALALA YOUSAFZAI

MALALA YOUSAFZAI

LAUREATKA POKOJOWEJ NAGRODY NOBLA W 2014 R.

- **Urodzona w Mingora (Pakistan) w 1997 r.**

- **Jej praca:**

  - *I Am Malala: The Girl Who Stood Up for Education and Was Shot by the Taliban* (2013), pamiętnik/autobiografia

Malala Yousafzai to młoda Pakistanka, której dzieciństwo i dorastanie były mocno naznaczone obecnością talibów w jej kraju. W wieku 11 lat założyła blog dla BBC, w którym opowiadała o swoim codziennym życiu pod kontrolą religijnych ekstremistów i krytykowała sytuację w swoim kraju. Później wygłosiła wiele przemówień (w szkołach, na demonstracjach, na konkursach wystąpień publicznych, podczas wizyt polityków itp.), których celem było promowanie edukacji dla dziewcząt. W 2012 roku przeżyła zamach na swoje życie i stała się sławna na całym świecie.

Malala w 2013 roku wygłosiła przemówienie na forum Zgromadzenia Ogólnego ONZ, w 2014 roku otrzymała Pokojową Nagrodę Nobla, stworzyła fundację promującą edukację, a także wydała autobiografię *I Am Malala: The Girl Who Stood Up for Education and Was Shot by the Taliban*.

JESTEM MALALA

GŁĘBOKO PORUSZAJĄCE ŚWIADECTWO

- **Gatunek:** autobiografia, pamiętnik

- **Wydanie referencyjne:** Yousafzai, M. i C. Lamb (2013) *I Am Malala: The Girl Who Stood Up for Education and Was Shot by the Taliban*. London: Weidenfeld and Nicolson.

- **Pierwsze wydanie:** 2013 r.

- **Tematyka:** edukacja, terroryzm, islam, Pakistan, bojownicy

Wydana w październiku 2013 roku, rok po ataku, który wywrócił życie Malali do góry nogami, książka opisuje dojrzewanie spędzone na walce o edukację dla wszystkich, a w szczególności dla dziewcząt. Bardziej niż zwykła relacja, przedstawia również kluczowe momenty historyczne i wyjaśnia wzrost talibów w Afganistanie.

W przypadku szerokiego grona odbiorców, z których znaczna część nie jest zaznajomiona z obszarami konfliktu, talibami, a nawet z islamem, praca ta ma istotny element wyjaśniający, wręcz dydaktyczny. Czytelnik dowiaduje się z niej o etymologii niektórych terminów, o najważniejszych wydarzeniach w historii dystryktu Swat na północy kraju oraz o Koranie i jego różnych interpretacjach.

STRESZCZENIE

SKOMPLIKOWANA EDUKACJA

Malala Yousafzai to pakistańska nastolatka, która po zamachu na jej życie mieszka obecnie w Birmingham w Anglii. Kiedy była młodsza, mieszkała w Swat, odległym dystrykcie w prowincji w północnym Pakistanie, gdzie od kilku lat trwały starcia między armią krajową a talibami.

Choć pochodzi z biednej rodziny – jej ojciec zadłużył się, by założyć szkołę, a matka jest gospodynią domową – ta młoda dziewczyna miała szczęście i pomimo przeciwności poszła do szkoły, co nie dotyczy wszystkich dzieci w Pakistanie. W rzeczywistości wiele dzieci musi pracować, aby pomóc rodzicom w pokryciu podstawowych potrzeb. Ponadto, ponieważ większość kobiet to gospodynie domowe, większość dziewczynek uczy się gotować, a nie czytać, ponieważ ich rodzice uważają, że ta umiejętność bardziej przyda im się w przyszłości.

Malala, która ponad wszystko pragnęła, by jej ojciec był z niej dumny, starała się zawsze być najlepsza w klasie. Jednak z biegiem lat talibowie stawali się coraz bardziej wpływowi i ograniczali dziewczętom dostęp do edukacji. Zaczęli od krytyki klas mieszanych, potem szkół mieszanych. Kiedy oficjalnie przejęli władzę w 2009 roku, pozwolili dziewczynkom chodzić do szkoły do 11 roku życia, ale niedługo potem całkowicie tego zabronili i mocno egzekwowali tę nową zasadę. W sumie zniszczono około 150 szkół. Wbrew zakazowi Malala i niektóre z jej koleżanek z klasy kontynuowały zajęcia w tajemnicy.

Kilka miesięcy później, gdy konflikt między talibami a armią pakistańską zaostrzył się, ludność Swatu została zmuszona do emigracji. Przez trzy miesiące Malala nie mogła już chodzić do szkoły, a ponieważ nie mogła zabrać ze sobą swoich książek, nie mogła też sama pracować i uczyć się. Po powrocie, życie wróciło do normy, ponieważ ponownie otwarto przedsiębiorstwa i szkoły.

Niestety w lipcu 2010 roku region ten nawiedziły ulewne deszcze, powodujące niszczycielskie powodzie. Wiele osób zginęło, drogi i budynki zawaliły się, a te szkoły, które zostały oszczędzone przez talibów, zostały poważnie uszkodzone.

Mimo zniszczeń i zagrożenia ze strony ekstremistów, zajęcia stopniowo zaczynały się od nowa. Jednak dla Malali wszystko zatrzymało się w październiku 2012 roku, gdy dwóch członków reżimu Talibów zaatakowało ją w autobusie ze szkoły. Cudem przeżyła i została przetransportowana na leczenie do jednego z najlepszych szpitali w Wielkiej Brytanii. Po wielu operacjach i długim okresie rehabilitacji, w końcu mogła ponownie rozpocząć zajęcia, tym razem w Birmingham, gdzie obecnie mieszka z rodziną.

WZROST ZNACZENIA TALIBÓW

Początkowo termin "talibowie" odnosił się do osób, które studiowały islam. Stopniowo grupa ta – której znaczna część nie ukończyła studiów – zaczęła szerzyć własną interpretację Koranu, która wprowadza wiele swobód w stosunku do oryginalnego tekstu, w szczególności w odniesieniu do miejsca kobiet w społeczeństwie.

W odległych regionach Pakistanu ich propaganda była początkowo bardzo subtelna: Maulana Fazlullah (przywódca talibów, urodzony w 1974 r.) za pomocą anteny radiowej nadawał codzienne porady, jak żyć zgodnie z islamem. Porady te dotyczyły spraw higieny i gotowania, a także rolnictwa, edukacji i odpowiedniego zachowania. Miejscowa ludność przychylnie reagowała na te uwagi i oferowała przywódcy zarówno moralne, jak i finansowe wsparcie.

Zalecenia stawały się coraz bardziej radykalne, potępiając np. muzykę. Pojawiły się też milicje, które dla utrzymania ustalonego porządku stosowały szczególnie brutalne metody, takie jak publiczne chłosty. Eliminowano również tych, którzy nie zgadzali się z tą doktryną. Szkoły, które zostały uznane za niemoralne, były po prostu niszczone.

W następstwie tych brutalnych działań wybuchła otwarta wojna między talibami a armią pakistańską, a miejscowa ludność schroniła się w innych częściach kraju. Później, gdy armia odzyskała kontrolę nad sytuacją, a życie Pakistańczyków wracało do normy, w dolinie Swat wystąpiły poważne powodzie. Talibowie skorzystali z panującego chaosu i nieszczęścia, by przyjść z pomocą odległym wioskom i przygarnąć sieroty. Kształcili, a raczej indoktrynowali, te dzieci, by uczynić z nich ekstremistów.

Od tego momentu ataków talibów było mniej, ale były one wymierzone (polityk, aktywista, tancerka, szkoła). Rząd pakistański uznał wówczas, że powrócił pokój. Dokonano jedynie kilku jednorazowych aresztowań – na przykład po ataku na Malalę.

ZNACZENIE PRZEMÓWIEŃ

Ojciec Malali, gdy był młodszy, z powodzeniem brał udział w konkursach wystąpień publicznych. Aby pójść w jego ślady i uczynić go dumnym, młoda dziewczyna również postanowiła zapisać się na jeden z takich konkursów. Jej pierwszy udział zapoczątkował szereg wystąpień, których celem była nie tylko elokwencja, ale obrona prawa do edukacji dla wszystkich. Malala została wkrótce zaproszona do przemówień w niektórych szkołach i innych miejscach publicznych w swoim mieście, a następnie w kilku regionach Pakistanu, gdzie spotkała wielu polityków.

Po tym, jak padła ofiarą zamachu, jej głos i żądania nabrały międzynarodowego wymiaru. Znana na całym świecie Malala założyła fundację i napisała książkę, aby jeszcze bardziej zwiększyć siłę oddziaływania swojego apelu i doprowadzić do zmian w zakresie edukacji w Swat.

KONTEKST

PAKISTAN

Przed uzyskaniem niepodległości Pakistan był częścią brytyjskiego imperium indyjskiego. Po podziale Indii w 1947 roku powstało Dominium Pakistanu, w skład którego do 1971 roku wchodził również Bangladesz.

W Indiach Brytyjskich od dawna dochodziło do licznych konfliktów – a nawet masakr – z udziałem muzułmanów i hindusów. Podział kraju i powstanie pierwszego państwa islamskiego, Pakistanu, doprowadziły do exodusu w dwóch kierunkach: większość hindusów wyjechała do Indii, podczas gdy wielu muzułmanów mieszkających w Indiach wyemigrowało do nowego państwa. Daleki od rozwiązania wszystkich problemów, podział ten przyniósł konflikty zbrojne z powodu braku zgody na ustalenie granic.

Choć Pakistan jest oficjalnie państwem muzułmańskim, obecnie w kraju żyją obok siebie różne religie: zarówno hindusi, jak i chrześcijanie oraz sikhowie (inna religia hinduska). Mniejszości te są jednak przedmiotem dyskryminacji, zwłaszcza wobec kobiet.

Mimo że kraj jest bardzo młody, doświadcza wielokrotnych zmian reżimu, z rządami, które czasami są demokratyczne, a czasami są dyktaturą wojskową. Większość zmian politycznych następuje po zamachu stanu lub zabójstwie przywódcy. Ta poważna niestabilność jest oczywiście niekorzystna dla rozwoju społeczno-gospodarczego kraju, a Pakistan ma w szczególności niski wskaźnik alfabetyzacji wynoszący 54,5% (UNICEF, 2008-2012). Edukacja stanowi problem ze względu na wpływ konfliktów i zagrożenie ze strony talibów. Rzeczywiście, podczas gdy 60-70% dzieci uczęszcza do szkoły podstawowej, tylko 30-40% ma dostęp do edukacji średniej (UNICEF, 2008-2012). Należy również zauważyć, że 21% populacji żyje poniżej granicy ubóstwa (UNICEF, 2007-2011).

KONFLIKTY Z TALIBAMI

Niestabilność polityczna Pakistanu odgrywa dużą rolę w rozwoju ruchów ekstremistycznych. Rzeczywiście, chociaż rząd przez długi czas wspierał talibów w Afganistanie, po zamachach z 11 września nagle połączył siły z USA w celu ich zwalczania. Talibowie byli już jednak obecni na górzystych i słabo zaludnionych obszarach północno-zachodniego Pakistanu, które trudno kontrolować.

 DOBRZE WIEDZIEĆ

11 września 2001 roku terroryści porwali w Stanach Zjednoczonych cztery samoloty w celu przeprowadzenia samobójczych ataków na symboliczne miejsca w całym kraju: dwa z nich rozbiły się o bliźniacze wieże World Trade Center, a trzeci zszedł na Pentagon (siedzibę Departamentu Obrony Stanów Zjednoczonych) w Arlington County w Wirginii. Dzięki odwadze pasażerów, czwarty samolot, który prawdopodobnie zmierzał do stolicy – Waszyngtonu, rozbił się na polu. W sumie w atakach zginęło prawie 3 tysiące osób.

Do odpowiedzialności za ataki przyznał się Osama Bin Laden (1957-2011), przywódca sieci terrorystycznej Al-Kaida. W październiku 2001 roku Stany Zjednoczone, a szerzej świat zachodni, rozpoczęły szeroko zakrojoną walkę z terroryzmem, zwłaszcza w Afganistanie i Iraku.

W latach 2003-2004 walka ta nasiliła się, prowadząc do konfliktu zbrojnego między ekstremistami a armią narodową w regionach plemiennych. Obszary te cieszą się względną autonomią prawną i wtargnięcia rządu, które początkowo były tolerowane, szybko stały się niepopularne wśród lokalnej ludności.

Pomimo sporadycznych ataków, w 2004 roku obie strony podpisały porozumienia pokojowe. W 2007 r. wznowiono jednak działania wojenne, a w lipcu tego roku doszło do szturmu na Czerwony Meczet w stolicy Islamabadzie. Późniejsze próby zawarcia rozejmu były skazane na niepowodzenie, gdyż zbyt często zmieniali się przywódcy i orientacja polityczna rządu.

Konflikty te, wraz z klęskami żywiołowymi, spowodowały znaczną liczbę ofiar śmiertelnych i poważne szkody, pozostawiając wiele dzieci osieroconych i uniemożliwiając innym zdobycie stałego wykształcenia. W odległych regionach talibowie podjęli działania przed organizacjami pozarządowymi podczas powodzi w 2010 roku, zyskując w ten sposób aprobatę części ludności. Przyjęli też sieroty do ośrodków, w których je indoktrynowali. Niejednoznaczne relacje między rządem i jego ludnością z jednej strony, a talibami i ludnością z drugiej, skomplikowały walkę z talibami.

INTERWENCJA USA

Po zamachach w 2001 roku USA zaoferowały Pakistanowi znaczną pomoc finansową i wojskową w ramach walki z terroryzmem. Interwencja ta sprowokowała szereg napięć:

- USA uważały, że o ile Pakistan nie angażuje się w podwójne interesy, to ich sojusznik nie wykorzystuje wszystkich zasobów niezbędnych do skutecznej realizacji ich wspólnej misji. Opinia ta została wzmocniona w 2011 roku, gdy amerykańscy żołnierze odnaleźli i zabili Osamę Bin Ladena w jego rezydencji w Pakistanie.

- W ramach tej walki z terroryzmem Stany Zjednoczone wysłały w odległe rejony kraju drony. Jednak około 30% ofiar tych maszyn, sterowanych zdalnie, to cywile (Bergen, P. "Użycie dronów w Pakistanie nie ma wpływu na wojnę", w *Le Monde*, 26 lutego 2010). Zarówno ludność Pakistanu, jak i talibowie krytykowali te działania.

- Niektórzy Pakistańczycy postrzegają amerykańską interwencję w ich kraju jako inwazję, której celem jest przejęcie własności lub przynajmniej kontroli nad ich ziemią. Niektórzy wysnuli nawet teorię spiskową, według której ataki terrorystyczne (w USA i w Pakistanie) zostały wymyślone przez mocarstwa zachodnie, aby posłużyć jako pretekst do amerykańskiego zaangażowania na tych terenach.

ANALIZA

AUTOBIOGRAFIA CZY PAMIĘTNIK?

Narrację Malali można sklasyfikować jako coś pomiędzy autobiografią a pamiętnikiem. W rzeczywistości posiada cechy obu gatunków.

- Autobiografia:
  - jest napisana w pierwszej osobie liczby pojedynczej. Autor i narrator to ta sama osoba;
  - przedstawia retrospektywny punkt widzenia na wydarzenia;
  - ma wymiar introspektywny. Autor zastanawia się nad sobą i elementami, które składają się na jego osobowość.

- Pamiętnik:
  - jest napisany przez autora, który jest postacią historyczną lub publiczną;
  - jest związany z wydarzeniami historycznymi. Podkreśla raczej historię lub społeczeństwo niż osobistą historię autora.

I Am Malala: The Girl Who Stood Up for Education and Was Shot by the Taliban jest napisana w pierwszej osobie liczby pojedynczej, dotyczy osoby publicznej i przedstawia retrospektywny punkt widzenia. Dwie ostatnie cechy – wymiar introspektywny i historyczny – są trudniejsze do wyodrębnienia, dlatego dzieło to można uznać zarówno za autobiografię, jak i pamiętnik.

W rzeczywistości, choć Malala powołuje się na wpływ ojca na jej sposób myślenia i chęć obrony prawa do edukacji, refleksja nad jej osobowością nie jest centralnym elementem powieści i dlatego nie może uzasadniać umieszczenia książki w pełni w kategorii autobiografii. Zauważamy natomiast, że "fakt autobiograficzny", wymóg gatunku, jest przestrzegany.

 DOBRZE WIEDZIEĆ

Philippe Lejeune (francuski eseista, ur. 1938) określa pakt autobiograficzny jako milczącą umowę między czytelnikiem a autorem, która zapewnia szczerość narracji. Uznaje się zatem, że przedstawiane wydarzenia miały miejsce naprawdę, nawet jeśli podlegają subiektywności autora. Rzeczywiście, ponieważ są to wspomnienia, nikt nie może być całkowicie obiektywny: wybór, które elementy są włączone, a które pominięte, jest osobisty, a pamięć może zniekształcać fakty. Dlatego też, choć narracja autobiograficzna może być interesującą relacją z jakiegoś okresu lub sytuacji, nie można jej uznać za fakt naukowy.

Jeśli chodzi o gatunek pamiętnika, związek z wydarzeniami historycznymi jest oczywisty: Malala sytuuje najważniejsze wydarzenia ze swojego dzieciństwa w kontekście historycznym Pakistanu. Nie można jednak powiedzieć, że ten wymiar historyczny – czy nawet społeczny, bo autorka zajmuje się warunkami życia i obyczajami swojego kraju – dominuje w narracji. Jest on równie ważny, jak – nie ważniejszy – osobista historia autorki.

RÓŻNE SPOJRZENIA NA ŚWIAT ZACHODNI

Odniesienia do świata zachodniego są w tej pracy wszechobecne, czy to w formie porównania, czy krytyki. Biorąc pod uwagę punkty widzenia różnych uczestników (Malala, jej ojciec, talibowie itd.), to spojrzenie na Zachód jest wielowymiarowe i złożone:

- Talibowie kojarzą świat zachodni, a w szczególności Stany Zjednoczone, z grzechem. Sprzeciwiają się zarówno niemoralności tego społeczeństwa, jak i amerykańskiemu imperializmowi.

- Pakistańczycy z doliny Swat mylą świat zachodni i Stany Zjednoczone, które również postrzegają bardzo negatywnie. W rzeczywistości jedynym ich kontaktem z tym krajem są drony wysyłane przez amerykańską armię, które zamiast zabijać członków talibów, pochłaniają ofiary cywilne.

- Chociaż Malala jest niezadowolona z dronów wysyłanych przez Amerykanów, widzi w świecie zachodnim możliwe rozwiązanie, formę pomocy z zewnątrz, która mogłaby pomóc w konfliktach toczących się w Pakistanie. Kiedy przeprowadza się do Wielkiej Brytanii, porównuje oba społeczeństwa, zauważa zwłaszcza spokój i porządek na ulicach. Jest zazdrosna o ten nowoczesny świat, w którym każdy ma kontrolę nad swoim losem, a kobiety i mężczyźni są równi. Jest jednak zaskoczona, że te elementy są traktowane jako oczywiste i że ludzie Zachodu już ich nie zauważają.

- Kiedy rodzina się przeprowadza, matka Malali staje w obliczu zachodniego świata, w którym trudno jej się odnaleźć. Ludzie wydają się jej zimni i zdystansowani, szokuje ją sposób ubierania się Anglików.

ODBIÓR

O ile książka została przyjęta na całym świecie ze względu na jej przesłanie, siłę i odwagę młodej autorki oraz ideał, jaki reprezentuje jej walka o edukację, o tyle w Pakistanie przyjęto ją inaczej.

Niektórzy Pakistańczycy nie są zadowoleni z rozgłosu Malali i uważają, że jest ona manipulowana przez ludzi Zachodu, posuwając się nawet do podawania w wątpliwość próby zamachu na jej życie. Według niektórych osób został on zainscenizowany w celu przeniesienia się do Wielkiej Brytanii i cieszenia się poziomem komfortu, którego nie doświadczyła w swoim rodzinnym mieście. Fakt, że Malala walczy o edukację i oferuje niewielką krytykę polityki zagranicznej – zwłaszcza ingerencji Stanów Zjednoczonych – nie jest pozytywnie postrzegany w Pakistanie.

DALSZA REFLEKSJA

KILKA PYTAŃ DO PRZEMYŚLENIA

- W jaki sposób narracja Malali jest subiektywna? Wykorzystaj fragmenty książki do poparcia swojej odpowiedzi.

- Jaka jest rola Pakistańczyków w dojściu Talibów do władzy? Użyj przykładów z książki, aby poprzeć swoją odpowiedź.

- Gdyby Malala była mężczyzną, czy myślisz, że nadal prowadziłaby tę walkę? Jak zmieniłoby się jej życie?

- Jaka jest rola ojca Malali w jej zaangażowaniu w edukację? Wyjaśnij, posiłkując się fragmentami książki.

- W przemówieniu do Zgromadzenia Ogólnego ONZ w 2013 roku Malala powiedziała: "podnieśmy nasze książki i nasze pióra, są one najpotężniejszą bronią. Jedno dziecko, jeden nauczyciel, jedna książka i jeden długopis mogą zmienić świat". Skomentuj tę wypowiedź.

- Malala obecnie mieszka w Wielkiej Brytanii. Czy można ją uznać za uchodźcę? Uzasadnij swoją odpowiedź, korzystając z fragmentów książki i połącz ją z aktualnymi wydarzeniami (uchodźcy syryjscy, 2015).

- Jakie jest spojrzenie talibów na Zachód? Wyjaśnij na przykładach z książki i obiektywnie przeanalizuj ten pogląd.

- Czy Pana zdaniem można uznać tę książkę za źródło historyczne, które pokazuje zagrożenie ze strony talibów w Pakistanie?

- Czy uważasz, że wymiar introspektywny jest istotnym elementem, którego brakuje w książce?

- Książka była współtworzona z angielską dziennikarką, Christiną Lamb. Czy jej obecność jest odczuwalna w książce?

DALSZE CZYTANIE

WYDANIE REFERENCYJNE

Yousafzai, M. i C. Lamb (2013) *I Am Malala: The Girl Who Stood Up for Education and Was Shot by the Taliban*. London: Weidenfeld and Nicolson.

BADANIA REFERENCYJNE

Aziz, S. (2014) Malala stworzyła historię, ale w Pakistanie panuje resentyment, a nie duma. *The Guardian*. [Online]. [Dostęp 18 grudnia 2015]. Dostępny w: <http://www.theguardian.com/the-observer/she-said/2014/oct/11/malala-made-history-but-there-is-resentment-not-pride-in-pakistan>

Bergen, P. (2010) L'utilisation des drones au Pakistan n'a pas d'effet sur la guerre. *Le Monde*. [Online]. [dostęp 18 grudnia 2015]. Dostępny w: <http://www.lemonde.fr/asie-pacifique/article/2010/02/26/l-utilisation-de-drones-au-pakistan-n-a-pas-d-effet-sur-la-guerre_1311552_3216.html>

Bobin, F. (2014) Malala Yousafzai: « Je veux l'éducation pour les enfants de tous les terroristes ». *Le Monde*. [Online]. [Dostęp 18 grudnia 2015]. Dostępny w: <http://www.lemonde.fr/asie-pacifique/article/2014/10/10/la-jeune-pakistanaise-malala-yousafzai-recompensee-par-le-prix-nobel-de-la-paix_4504255_3216.html>.

Bovin, M. (1998) *Le Pakistan*. Paris: Presses Universitaires de France.

Lejeune, P. (1989) *O autobiografii*. Minneapolis: University of Minnesota Press.

The Independent (2013) Pełny tekst: Malala Yousafzai dostarcza wyzywającej riposty bojownikom talibskim przemówieniem na Zgromadzeniu Ogólnym ONZ. *The Independent.* [Online]. [Dostęp 6 października 2015]. Dostępny w: <http://www.independent.co.uk/news/world/asia/the-full-text-malala-yousafzai-delivers-defiant-riposte-to-taliban-militants-with-speech-to-the-un-8706606.html>

Strona główna Funduszu Malala

https://www.malala.org/

Statystyki UNICEF dotyczące Pakistanu [online]. [dostęp 4 listopada 2015].

<http://www.unicef.org/infobycountry/pakistan_pakistan_statistics.html>.

Chcemy usłyszeć od Ciebie, co się dzieje!
Zostaw komentarz na temat swojej internetowej biblioteki
i podziel się swoimi ulubionymi książkami w mediach społecznościowych!

www.50minutes.com

Master ISBN: 9782808693660
Papierowy ISBN: 9782808615068
Depozyt prawny: D/2023/12603/1786

Verhaal: © Primento

Projekt cyfrowy: Primento, cyfrowy partner wydawców.